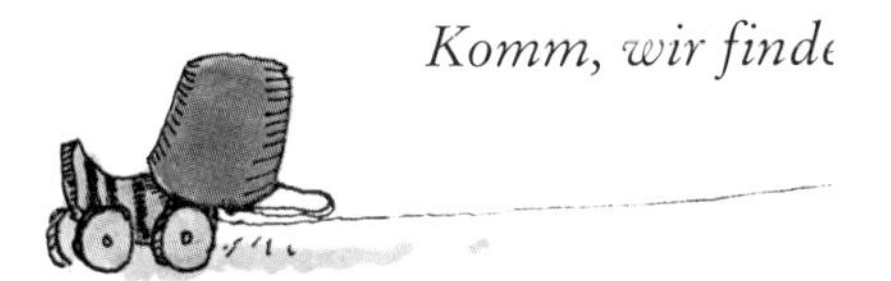
Komm, wir finde

CW00687731

Janosch, geboren 1931 in Zaborze, Oberschlesien, arbeitete in verschiedenen Berufen, ab 1953 als freier Künstler. Er lebt und arbeitet auf einer einsamen Insel. Seine Kinder- und Bilderbücher erscheinen bei Beltz & Gelberg und weltweit in vielen Übersetzungen.
In der Reihe MINIMAX liegen von ihm bisher vor:
Oh, wie schön ist Panama (dt./engl.), *Post für den Tiger* (dt./engl.), *Ich mach dich gesund, sagte der Bär* (dt./engl.), *Guten Tag, kleines Schweinchen, Der kleine Tiger braucht ein Fahrrad* sowie *Riesenparty für den Tiger.*

M NI AX
Herausgegeben in Zusammenarbeit mit dem Moritz Verlag
von Markus Weber

www.beltz.de
Erstmals als MINIMAX bei Beltz & Gelberg im Februar 2005

in der Verlagsgruppe Beltz · Weinheim Basel
Werderstraße 10, 69469 Weinheim

Neue Rechtschreibung
Gesamtherstellung: Beltz Grafische Betriebe, Bad Langensalza
Printed in Germany
ISBN 978-3-407-76022-7
11 12 13 14 20 19 18 17

Komm, wir finden einen Schatz

Die Geschichte,
wie der kleine Tiger und der kleine Bär
das Glück der Erde suchen

Einmal hatte der kleine Bär den ganzen Tag im Fluss geangelt, aber er hatte keinen einzigen Fisch gefangen.
Leerer Eimer, müde Knochen und kein Braten im Topf. Da wird sein Freund, der kleine Tiger, aber Hunger haben.

»Heute gibt es keinen Fisch, Tiger«, sagte der kleine Bär, »denn ich habe keinen gefangen.« Dann kochte er Blumenkohl aus dem Garten. Mit Kartoffeln, Salz und etwas Butter dazu.

»Weißt du, was das größte Glück der Erde wäre?«, sagte der kleine Tiger. »Reichtum. Dann hättest du mir heute zwei Forellen kaufen können. Forellen sind nämlich meine Leib- und Königsspeise. Hmm…«

»Oh, ja, Forellen«, rief der kleine Bär, denn Forellen waren sein Anglertraum. Aber er hatte noch nie eine erwischt, weil Forellen nicht dumm sind. Lassen sich nicht so leicht fangen.

»Mit Dill und Mandeln in guter Butter gebraten, du«, rief der kleine Tiger und sprang vor Freude in der Stube herum.

»Und als Nachspeise«, sagte der kleine Bär, »Bienenstichkuchen.«

»Oh, Bie-nen-stich-kuchen«, quietschte der kleine Tiger. »Da flimmert es mir ja schon auf der Zunge, wenn ich das nur höre …«

»Und morgen«, sagte der kleine Bär, »würde ich mir dringend sofort ein Schlauchboot kaufen müssen. Weil ich das nämlich brauche.«

»Nein, nein«, rief der kleine Tiger. »Zuallererst brauche ich eine Hollywoodschaukel.

Und zwar, weil mein Schaukelstuhl immer so quietscht, das halte ich nicht mehr aus, du, ist ehrlich wahr. Ich werd noch verrückt davon.«
Und dann wollte der kleine Tiger noch eine Rennfahrermütze mit Schnalle. Und eine rote Lampe über dem Bett, und Pelzstiefel.
»Und wir lassen uns raffinierte Sommeranzüge nähen«, sagte der kleine Bär, »und gehen auf den Jägerball tanzen. Einen flotten Tango auf das Parkett legen, oh, ja, Tiger, das wär was …«
»Komm«, sagte der kleine Tiger, »wir finden einen Schatz!«
Am nächsten Tag ging der kleine Tiger in den Wald, Pilze sammeln. Die haben sie auf dem Markt verkauft. Für das Geld haben sie ein festes Seil und eine neue Schaufel und zwei Eimer gekauft; denn das braucht man zum Schatzgraben.

Erste Schaufel – Erde. Zweite Schaufel – Erde. Einen Meter tief, das Loch. Sieben Meter tief, das Loch, und immer noch keine Kiste mit Gold und Geld.

Dabei haben sie den glücklichen Maulwurf geweckt. Er hatte dort geschlafen und er kam, klopfte an den Sandhaufen und rief: »Gräbt da vielleicht jemand in der tiefen Erde, hallo?«
Er konnte nämlich nicht sehen. War blind auf den Augen. Denn er wohnte meist unter der Erde, wo niemals Licht hin kam.

Und wo kein Licht hin kommt, verlernt man auch das Sehen.
»Ja, ja«, sagte der kleine Tiger. »Unten gräbt der Bär und ich bin hier oben. Wir suchen nämlich das größte Glück der Erde, weißt du.«
»Ach, das größte Glück der Erde«, rief der Maulwurf, »das kenne ich. Das ist nicht da unten. Das ist nämlich, wenn man gut hören kann. Ich kann gut hören. Hört ihr den Zaunkönig, Freunde, wie er singt? Ist das nicht schön, was?«
»Nein, nein«, rief der kleine Tiger, »wir suchen eine Kiste mit Gold und Geld.«
»Ach das«, sagte der glückliche Maulwurf.
»Das ist auch nicht da unten. Ich kenne die Erde hier unter der Erde so gut wie meine Hosentasche. Auf dieser Seite vom Fluss ist keine Kiste unter der Erde.«

Da hörten die beiden dort auf zu graben und ruderten mit ihrem Boot über den Fluss.
»Weiter rechts musst du steuern«, ruft der kleine Tiger, »sonst laufen wir auf eine Sandbank auf.«

»Weißt du, an was ich jetzt denke, Tiger?«, fragt der kleine Bär. »An schöne Lackschuhe. Ich könnte mir zu meinem Sommeranzug schöne Lackschuhe kaufen. Mit weißen Schnürsenkeln. Wäre das schön, du?«

»He, kleiner Bär und kleiner Tiger!«, ruft der Fisch im Wasser, »da schwimmt eine Flaschenpost. In der Flasche ist ein Zettel. Auf dem Zettel ist eine Landkarte und auf der Landkarte ist eine Insel mit einer Seeräuberhöhle. Dort liegt ein Seeräuberschatz, den könnt ihr euch holen. Fangt die Flasche, na, fangt schon die Flasche, schnell!«
Zu spät. Flasche vorbeigeschwommen, futsch der Reichtum.
»Ja, ja«, sagt der Fisch, »so schnell schwimmt das Glück vorbei, ihr kleinen Dummköpfe. Weil ihr nicht zuhört, was ich sage.«

Auf der anderen Seite vom Fluss fing jetzt der kleine Tiger an zu graben. Einmal der Bär und einmal der Tiger.
Erste Schaufel Erde. Zweite Schaufel Erde. Bei der fünften Schaufel Erde kam der Löwe mit der blauen Hose.
»Was macht ihr denn da, Jungs?«, fragte er.
»Wir finden hier einen Schatz«, sagte der kleine Tiger.
»Sollen wir dir mal sagen, was das größte Glück der Erde ist?«
»Das weiß ich allein«, sagte der Löwe mit der blauen Hose. »Nämlich Kraft und Mut. Soll ich mal mutig brüllen, ja?«
Und dann brüllte er so laut, dass im großen, wilden Wald nach drei Stunden die Blätter an den Bäumen noch zitterten wie Espenlaub. Vom Luftdruck.

»Nein, nein«, rief der kleine Bär. »Wir suchen einen Schatz. Eine Kiste mit Geld und Gold.«

»Ach das«, brummte der Löwe mit der blauen Hose. »Das gibt es hier nicht. Hier, vor dem großen, wilden Wald kenne ich alles. Das gibt es hier nicht.« Da hörten sie dort auf zu graben und gingen durch den großen, wilden Wald.

Fünf Stunden zu Fuß. Sie haben sich sehr gefürchtet.

Hast du deine Angel nicht vergessen, kleiner Bär?
»Nein, nein«, sagt der kleine Bär, »weil ich sie immer und überall dabei habe, wo ich geh und steh.«
Na, dann ist es gut.
Auf der anderen Seite vom großen, wilden Wald fing der kleine Bär wieder an zu graben. Einmal der Bär und einmal der Tiger.
»Ogottogottogottoktok…«, gackerte das verrückte Huhn, »was macht denn ihr da, Kinder?«
»Wir finden hier einen Schatz«, sagte der kleine Bär. »Geld.«

»Geld, Geld«, gackerte das verrückte Huhn, »Geld liegt doch nicht in der Erde. Mein Bauer sagt immer, das Geld liegt auf der Straße. Und mein Bauer ist wirklich nicht dumm, sonst hätte er nicht so schöne Hühner wie mich. Oder was? Wie findet ihr denn meinen tollen Huuut? Ist der nicht verrückt?«
Und flatterte davon.
»Auf der Straße?«, sagte der kleine Tiger.

»Komm, dann gehen wir auf die Straße, da brauchen wir nicht so schwer zu graben.«
Auf der Straße trafen sie den Reiseesel Mallorca.
»Na, wo soll's denn hingehen, ihr zwei kleinen Tierchen?«
»Wir suchen das größte Glück der Erde«, sagte der kleine Tiger.
»Oh, da habt ihr aber Glück«, sagte der Reiseesel

Mallorca. »Denn das suche ich auch. Und ich weiß, wo's liegt. Es liegt in der Ferne. Da könnt ihr gleich mitkommen, ich bin nämlich auf dem Weg dorthin.«
Unterwegs taten dem kleinen Bären die Füße weh. Vom Laufen.
»Tragen Sie uns doch ein Stück«, sagte er zum Reiseesel Mallorca. »Esel müssen Kinder tragen und wir sind doch noch Kinder. Nicht wahr, Tiger?«

Dann sind sie über das Meer gefahren.

Als sie an Land gingen, nahm der Reiseesel Mallorca sofort wieder seine Koffer und reiste weiter. Denn die Ferne ist niemals dort, wo man sich befindet.
»Weißt du was«, sagte der kleine Bär, »wir suchen den Schatz im Meer. Versunkene Seeräuberschätze liegen immer unten im Meer.«

Der kleine Bär ging Fische fangen. Die haben sie auf dem Fischmarkt verkauft. Für das Geld bekamen sie zwei Taucherhelme und Sauerstoffgeräte. Zum Tauchen.

Aber sie haben dort auch keinen Schatz gefunden. Keine Kiste, kein Gold und kein Geld.
Und als sie wieder aus dem Meer kamen, lachte der dicke Mann mit dem Motorboot am Seil:
»Na, Kinder! Ihr habt da unten wohl einen Schatz gesucht, was?«
»Ja«, sagte der kleine Bär, »weil der Tiger und ich, wir brauchen nämlich ...«

»Haha, da könnt ihr lange suchen, Jungs«, lachte der dicke Mann mit dem Motorboot, »da findet ihr keine tote Muschel mehr. Da haben wir schon alles abgegrast. Ihr kleinen Pechvögel ...«

Oje, die Welt war auf einmal so leer und das Meer so ka

ıd tief. Und das kleine Haus am Fluss so weit weg …

Und wäre nicht der große Vogel Kranich gekommen
und hätte er sie nicht über das Meer getragen,
sie wären wohl jämmerlich für immer und ewig
gestorben.

»Warum gehst du denn so krumm, Tiger?«, fragt der kleine Bär.
»Weil ich so unglücklich bin«, sagte der kleine Tiger.
»Weil wir keinen Schatz gefunden haben.«

»Dann steig auf«, sagte der kleine Bär, »ich trag dich ein Stückel.«

»Warum gehst du so krumm?«, fragt der kleine Tiger.
»Weil du so schwer bist«, sagte der kleine Bär.
»Dann bleib mal stehen, jetzt trag ich dich ein Stückel.«
Dann trug wieder der Bär den Tiger und dann wieder der Tiger den kleinen Bären. Jeder einmal, bis es Abend wurde.

In der Nacht schliefen sie unter einem großen Baum; denn sie waren müde von dem weiten Weg.

Als sie am nächsten Morgen aufwachten, sahen sie, dass sie unter dem Baum mit den goldenen Äpfeln geschlafen hatten. So ein Glück.

»Ja, ja«, sagte der alte Uhu, der aber auch ein Baum war, »so ist das. Da laufen sie über die ganze Erde und suchen das Gold unten. Und wo finden sie es dann? Oben. Alles ist meistens anders, als man denkt. Nämlich genau umgekehrt.«

Der kleine Tiger flocht sofort zwei Körbe. Der kleine Bär kletterte sofort auf den großen Baum. Sie haben die Körbe voll mit goldenen Äpfeln gefüllt. Bis ganz oben hin. Sehr schwer zu tragen.

»Ich gehe schon ganz krumm«, sagte der kleine Tiger, »weil mein Korb so schwer ist. Könntest du mich bitte wieder ein Stückel tragen?«

Aber das ging nicht, denn der kleine Bär trug ja schon einen Korb.
Man kann nur eines tragen: seinen Korb mit Gold oder seinen besten Freund.

»Weißt du«, sagte der kleine Bär, »wir tauschen in der Stadt das Gold gegen Geld. Geld ist aus Papier und viel leichter zu tragen. Und wir sind genauso reich.«

In der Stadt gingen sie auf die Bank. Dort war ein freundlicher Mann, der zählte die Goldäpfel und sagte: »Achthundert. Genau achthundert. Achthundert ist das Doppelte von vierhundert. Da bekommen Sie vierhundert.«

»Oh, das Doppelte«, rief der kleine Tiger, »wir haben ab jetzt immer Glück, Bär, siehst du. Jetzt haben wir genau das Doppelte. Ist das nicht schön, du?«
Das Geld war nicht schwer. Es war nicht mehr als eine Tasche voll, die konnten sie zusammen tragen und hatten jeder noch eine Hand frei zum Beeren pflücken.

Neben einem Wald kam ihnen ein Mann entgegen. »Ich bin ein Beamter des Königs«, sagte er. »Und wie man gehört hat, habt ihr Geld. Die Hälfte von allem Geld gehört immer dem König. Das ist Gesetz. Dafür schützt der König euch vor dem Räuber Hablitzel und sorgt sich um euch in der Not.«
Sie mussten die Hälfte abgeben und der Mann lief schnell einmal um den Wald herum und kam ihnen von vorn wieder entgegen.
»Ah, wir kennen uns«, sagte er freundlich. »Ihr habt Geld, wie wir schon wissen. Und die Hälfte vom Geld gehört immer dem König, genauso lautet das Gesetz. Dafür schützt er euch vor dem Räuber Hablitzel und so weiter.«
Das machte er dreimal. Und wie viel blieb ihnen dann noch? Na? Wer kann rechnen?
Jawohl, genau … *(Du darfst die Zahl mit Bleistift da oben hinschreiben.)*
»Schade«, sagte der kleine Tiger, »dein Anteil ist jetzt futsch, Bär.«
»*Mein Anteil*«, rief der kleine Bär. »Wieso *mein* Anteil? *Dein* Anteil, du frecher Lümmel.«

Und der kleine Tiger nannte den kleinen Bären einen liederlichen Lumpensack und das ging so hin und her, bis sie sich prügelten.

»Oh, ihr kümmerlichen Dummköpfe«, sagte der Zeisig im Gras. »Da prügelt jeder von euch seinen allerbesten Freund, und nur wegen Geld. Morgen kommt der Beamte des Königs, dann habt ihr gar nichts. Nicht einmal mehr einen Freund. Oh, ihr Tölpel.«

In der Nacht haben sie sich wieder vertragen, weil sie sich allein fürchteten. Und als sie schliefen, kam der Räuber Hablitzel und hat ihnen den Rest gestohlen. He, du elender Räuber! Weißt du nicht, dass der König jeden schützt, der bezahlt hat?
Da hat der Räuber Hablitzel laut gelacht. Hat gesagt: »Der König? Beschützen? Der schläft weit weg in seinem Bett. Wie soll er da jemanden beschützen? Hahaha…«

Und ist im Wald auf Nimmerwiedersehen verschwunden.
Jetzt hatten der kleine Bär und der kleine Tiger wieder nichts.
»Warum gehst du so krumm, Tiger?«, fragte der kleine Bär.
»Ich bin so unglücklich, Bär.«
»Dann steig auf, ich trag dich ein Stückel.«
Dann trug der Tiger wieder den kleinen Bären und dann der kleine Bär wieder den kleinen Tiger. Kein Streit mehr und keine Prügel. Kein Korb, der von oben schwer auf die Schulter drückte, und kein Beamter des Königs, der ihnen die Hälfte wegnahm.
»Oh, Tiger, ist das Leben schön«, sagte der kleine Bär, wenn der kleine Tiger ihn trug. In der Nacht schliefen sie auf dem Feld, brauchten keinen Baum, um sich unter ihn zu legen, und der Räuber Hablitzel konnte ihnen gar nichts mehr stehlen.

Als sie nach Hause kamen, schlief dort der glückliche Maulwurf auf dem Sofa. Er hatte sich gestern vor dem Regen untergestellt.
»Bleib doch da, du«, sagte der kleine Tiger.
»Der Bär kann ja so gut kochen, dass wir vor Freude immer weinen müssen, ist echt wahr.«
Und der glückliche Maulwurf blieb.
Der kleine Bär kochte einen Blumenkohl aus dem Garten. Mit Kartoffeln und Salz.
»Morgen gibt es vielleicht Pilze«, sagte der kleine Tiger, »freut ihr euch schon?«

»Oh, ja«, rief der kleine Bär. »Und wenn du keine findest, dann fange ich einen Fisch. Und wenn ich keinen fange, dann gibt es Blumenkohl.«
Weil am nächsten Tag die Sonne so schön schien, ging der kleine Tiger keine Pilze sammeln. Der kleine Bär wollte keinen Fisch fangen, da gab es Blumenkohl mit Kartoffeln und Salz.
»Horcht doch mal!«, sagte der glückliche Maulwurf. »Der Zaunkönig singt. Schön, was?«
Und sie lauschten dem Gesang, die Sonne flimmerte über die Wiese.
Die Bienen summten und der Blumenkohl hatte so gut geschmeckt. Hmmm… Oh, was war das für ein Glück. Echt wahr.

In der Reihe

M NI AX

sind über 150 Titel lieferbar, unter anderem diese:

Jutta Bauer
Steht im Wald ein kleines Haus
978-3-407-76179-8

Leo Lionni
Nicolas, wo warst du?
978-3-407-76181-1

Axel Scheffler
Hase und Igel
978-3-407-76183-5

Iela Mari
Ein Baum geht durch das Jahr
978-3-407-76182-8

Ole Könnecke
Anton kann zaubern
978-3-407-76180-4

Johanna Thydell / Charlotte Ramel
Ein Schwein im Kindergarten
978-3-407-76184-2

Susanne Göhlich
Juri fliegt zu den Sternen
978-3-407-76187-3

Martin Baltscheit
Die Geschichte vom Löwen, der nicht bis 3 zählen konnte
978-3-407-76186-6

Ulf Nilsson / Eva Eriksson
Der beste Sänger der Welt
978-3-407-76190-3

Ute Krause
Darf das Ungeheuer rein?
978-3-407-76188-0

Axel Scheffler / Julia Donaldson
Wo ist Mami?
978-3-407-76195-8

Chris Wormell
Der kleine Bär und die sechs weißen Mäuse
978-3-407-76191-0

Alle MINIMAX Titel finden Sie auf unserer Homepage:

www.beltz.de/minimax